Camille

Studio Pineapple

CÉCILE LAINÉ

For additional resources, visit:

www.towardproficiency.wordpress.com

www.youtube.com/user/cecilelaine

ISBN: 978-1-7341686-3-1

TABLE DES MATIÈRES

REMERCIEMENTS

- Jennifer Nolasco, portraying dance movements is no easy task and still you completely exceeded my expectations.

- Claude et Monique Lainé, your unconditional love and support has given me the confidence to go after my dreams.

- Anny Ewing, your thoughtful feedback and encouragements have made me a better author.

- Lauren Thacker, your honesty in pointing out uninteresting passages has helped me focus.

You all made this book possible. *Merci à tous !*

CHAPITRE 1

MÉMÉ ODILE

Samedi 14 mai

I'm never gonna dance again, lala… lala... la... no rhythm… lalalalalala to pretend... I know you're not a foooooool. J'adore cette chanson. Je ferme les yeux. Je pense à la chorégraphie que mon groupe de danse a préparée. Je souris. Je ne connais pas bien les **paroles**[1] *de Careless Whisper*, mais **mon corps**[2] connaît chaque intonation, chaque mouvement, chaque nuance de la musique. Je suis impatiente de présenter cette chorégraphie pour le spectacle de fin d'année. Je continue à chanter, les yeux fermés. *So I'm never gonna dance again, the way I dance with yoooooou.*

Je suis interrompue par ma mère :

---

[1] paroles – lyrics
[2] mon corps – my body

— Camille ? On arrive.

J'ouvre les yeux et je mets mon portable et mes écouteurs dans mon sac. Je sais que ma grand-mère n'aime pas me voir avec mon portable. Je regarde le **Rocher**[3] de La Garde avec sa vieille église. De bons souvenirs arrivent dans ma tête : quand j'habitais à La Garde, ma famille et moi allions souvent nous promener dans la vieille ville et nous finissions toujours la promenade en haut du rocher.

Ma mère et moi arrivons chez ma grand-mère. Elle habite dans une petite maison juste à côté du rocher. Quand je la vois, je me concentre et je lui souris :

— Bonjour mémé !

— Bonjour Camille, alors **tu surveilles ton poids**[4] ?

---

[3] rocher – boulder, outcropping
[4] tu surveilles ton poids – you are watching your weight

Je continue à sourire à ma grand-mère. Mais je ne lui réponds pas. Je ne peux pas lui répondre. J'entends souvent des réflexions sur mon poids de la part de ma grand-mère, mais je n'arrive jamais à lui répondre. Je continue à lui sourire et je répète dans ma tête : *Elle habite seule. Seule. Elle est vieille. Vieille. Elle n'a pas d'autre famille que nous. Pas d'autre famille que nous. C'est ma mémé.*

Je lui fais la bise[5] et je vais au jardin. Il fait beau aujourd'hui, alors je sais que nous allons prendre le café dans son petit jardin. Je sais qu'elle aura préparé un gâteau. Je sais qu'elle me dira de ne pas trop en manger. Je sais qu'elle en mangera beaucoup. Ça va être une longue après-midi.

---

[5] je lui fais la bise – I kiss her on the cheeks

CHAPITRE 2

LA RÉPÉTITION

Dimanche 15 mai

Sept... Huit…

Mes bras, mes jambes, ma tête et tout mon corps dansent au rythme de la musique. Je sens les autres filles qui dansent avec moi. Même si je ne les regarde pas, je les sens. Nos corps sont en harmonie. Quand on danse ensemble, on oublie tout. Quand je danse, j'oublie tout. Dès que la musique commence, j'oublie tout. Cette sensation est unique : je suis concentrée et en même temps, je suis **libre**[6].

Quand la musique s'arrête, je prends ma bouteille d'eau et je regarde les autres filles :

— Wouah, dit Élise, c'était vraiment super !

---

[6] libre – free

— Ouais, répond Assia en prenant aussi sa bouteille d'eau, on est les meilleures !

— Bon, c'était bien les filles, dit Chantal, notre prof de danse, mais à la fin il n'y a pas vraiment d'émotion. On voit que vous allez faire votre pose finale, c'est pas naturel. Dansez **jusqu'au bout de**[7] la musique ! Allez, on recommence.

Je regarde Chantal et je pense que j'ai de la chance : quand ma mère et moi **avons déménagé**[8] de La Garde à Marseille il y a 5 ans, nous avons cherché une autre école de danse pour moi. Après une audition difficile, Chantal m'a acceptée dans son école de danse, Studio Pineapple. Elle est très stricte, mais c'est une excellente prof.

En plus, j'ai rencontré sa belle-fille, Alice, qui est aujourd'hui ma meilleure amie. Je souris : Chantal avec ses mouvements gracieux et sensuels est la belle-mère d'Alice qui **casse**

---

[7] jusqu'au bout de – until the end of
[8] avons déménagé – moved

des planches en bois[9] au Taekwondo. Elles sont vraiment différentes !

En plus de *Careless Whisper*, on a deux autres **chorés**[10] : *SOS d'un Terrien en Détresse* (la version de Grégory Lemarchal) et *Run the World*. À la fin de la **répétition**[11], j'ai beaucoup transpiré, je suis super fatiguée et j'ai besoin d'un bon bain chaud.

Je quitte Studio Pineapple et je prends le métro pour rentrer chez moi. Il n'y a pas beaucoup de monde parce que c'est dimanche. Je préfère prendre le métro quand il y a du monde. Mes écouteurs dans les oreilles, j'écoute ma musique et je ne regarde personne. Je me sens un peu en sécurité parce que j'ai beaucoup transpiré et je suis toute rouge. Pas attractive.

Mais quand je bois à ma bouteille d'eau, je vois un homme qui me regarde. Je le regarde

---

[9] casse des planches en bois – breaks wooden planks
[10] chorés – choreographies
[11] répétition – rehearsal

un instant et je **baisse**[12] la tête. Trop tard. L'homme s'assied à côté de moi :

— Bonjour Mademoiselle. Vous aimez le sport ?

Je regarde rapidement cet homme et je me demande : est-ce le genre d'homme à me faire une rapide conversation ou est-ce le genre d'homme à me faire sortir du métro immédiatement ?

[12] baisse – lower

CHAPITRE 3

#DANCELIFE

Le métro arrive à la station et je prends une décision. Je me lève et je dis à l'homme d'un air naturel :

— Désolée, c'est ma station.

— Dommage Mademoiselle. À plus tard !

Je quitte rapidement la station de métro. En fait, ce n'est pas ma station. Bon, marcher me fera du bien… Je prends mon portable et j'écris un texto à ma mère :

« J'arrive. Prépare-moi un bain chaud **stp**[13]. »

Quand j'arrive chez moi, je vais à la salle de bains. Je prends deux aspirines et je me relaxe dans le bain chaud. Je crie :

---

[13] stp – s'il te plaît

— Merci maman, je t'aime très fort !

Je regarde **les bleus**[14] sur mes jambes et mes pieds. Je ferme les yeux et je souris.

Après le bain, un dîner et une conversation rapide avec ma mère, je prends ma tablette et je regarde les castings sur Internet. Je vois une annonce :

CASTING DANSEURS(SES) pour une série sur le WEB. Danseurs et danseuses de toutes origines entre 8 et 20 ans. Préférence pour le moderne et le hip hop. Merci de nous envoyer par mail une photo très récente (portrait et en pied) et les ***informations suivantes***[15] *: NOM et PRÉNOM - ADRESSE, CODE POSTAL et VILLE - TÉLÉPHONE parents et MAIL parents (pour les mineurs) - DATE DE NAISSANCE -* ***TAILLE et POIDS***[16]*, NOM DU CLUB...*

[14] les bleus – bruises
[15] les informations suivantes – the following information
[16] taille et poids – size and weight

J'arrête de lire. Taille et poids. Taille et poids ? Pourquoi ils veulent connaître mon poids ? En plus, ils ne demandent même pas de vidéo. Ils ne veulent pas me voir danser ou quoi ? Super **louche**[17].

J'ouvre Instagram, je mets une petite vidéo de moi qui danse sur *Careless Whisper* et j'écris :

Marre[18] *des castings qui demandent notre poids. On n'est pas de la marchandise. On est des* **danseureuses**[19] *! Tired of castings that ask for our weight. We are not merchandise. We are dancers!*

#danceonfam #dance #dancer #dancing #dancelife #choreography #dancersofinstagram #love #instadance #dancevideo #instamood #instagood #danceislife #dancerscomeinallsizes #performance #danse #danseur #dansez #dansepassion #dansemodernjazz

[17] louche – creepy
[18] marre – fed up
[19] danseureuses – (danseurs et danseuses) dancers

Je mets aussi ma vidéo et mon message sur Twitter. Soudain j'entends mon portable : c'est Alice.

Je mets une petite vidéo de moi qui danse sur *Careless Whisper*.

CHAPITRE 4

UNE BOMBE

— Camille ? C'est Alice.

— Salut, ça va ?

Alice commence à pleurer. Je ne sais pas pourquoi. Je lui demande :

— Ben... qu'est-ce qui se passe, Alice ?

— Je... dé… déménage dans un mois Camille, me répond-elle.

— Quoi ?

— Ouais, papa nous a annoncé la nouvelle aujourd'hui... On déménage à Paris... Hugo, Chantal, papa et moi, toute la famille déménage à la fin du mois de juin.

Grand silence. Je ne réponds pas. Je ne sais pas quoi dire. Finalement, je lui dis doucement :

— Mais, pourquoi ?

Alice me raconte toute l'histoire. Elle me raconte que son père a eu une promotion. Je l'écoute. Je pense à toutes les opportunités que **je pourrais avoir**[20] si j'habitais à Paris. Finalement, quand elle a fini, je lui dis calmement :

— Alice, je suis triste. Mais Paris, c'est une super opportunité pour toi. C'est génial. Tu vas aller dans un super lycée. Tu vas connaître des **gens géniaux**[21]. Tu vas avoir une vie géniale à Paris. En plus, ton oncle, sa femme et tous tes cousins habitent à Paris.

Je continue :

---

[20] je pourrais avoir – I could have
[21] gens géniaux – awesome people

— Tu sais ce que tu devrais faire ? Tu devrais faire une liste de tout ce que tu veux faire avant de déménager.

Après notre conversation, deux pensées arrivent dans ma tête :

1. Ma meilleure amie va déménager.

2. Sa belle-mère Chantal, ma prof de danse adorée, va aussi déménager. Studio Pineapple va fermer !

CHAPITRE 5

VIRALE

Lundi 16 mai

J'ai mangé avec Alice aujourd'hui à la cafétéria. Elle était triste. Moi aussi. En fait, j'étais encore plus triste parce que Chantal aussi va déménager. Pourquoi est-ce que Chantal ne nous a rien dit ? Je décide de ne pas parler de Chantal et de Studio Pineapple à Alice.

Alice **a suivi mon conseil**[22] et elle a fait une liste. Surprise, surprise, elle veut **embrasser**[23] Bilal avant de déménager. Elle l'a écrit sur sa liste. Je pense que ce n'est pas une bonne idée mais je ne lui dis rien. Bilal est le grand frère de Khadra, notre meilleure amie. J'ai peur de la réaction de Khadra, mais... si Alice veut embrasser Bilal, c'est sa vie.

---

[22] a suivi mon conseil – followed my advice
[23] embrasser – to kiss

Moi, je suis plus préoccupée par le déménagement de ma prof de danse, **l'avenir**[24] de Studio Pineapple… et mon avenir. Où est-ce que je vais danser quand Chantal aura déménagé ? Je sais que c'est **égoïste**[25] de penser à mon avenir mais la danse, c'est très important pour moi. Je me sens aussi un peu en colère. Pourquoi est-ce que Chantal ne nous a rien dit ?

Après l'école, j'allume mon portable dans le métro. Et là, mon portable explose de notifications. Mon Instagram et mon Twitter ont explosé ! Des milliers de personnes ont liké ma vidéo et mon message. J'ai des milliers de commentaires !

78 592 J'aime

IL Y A 1 JOUR

---

[24] l'avenir – the future
[25] égoïste – selfish

Je commence à lire les commentaires : il y a des **trolleureuses**[26] mais aussi beaucoup d'encouragements. Wouah. Je suis si surprise que je ne vois pas ma station et j'arrive en retard au studio.

Quand j'entre dans le studio, je vois Élise, Assia et les autres **s'échauffer**[27]. Chantal est là aussi. Elle me regarde et elle me dit d'un ton strict :

— Tu es en retard.

— Pardon Chantal.

Je m'échauffe avec les autres et on commence à danser. Mais je n'arrive pas à me concentrer. Je n'arrive pas à entrer dans le groove. Pourquoi est-ce que Chantal ne nous a rien dit ?

---

[26] trolleureuses – (trolleurs, trolleuses) trolls
[27] s'échauffer – to warm-up

— Camille, crie Chantal, qu'est-ce que tu fais ?

Chantal arrête la musique et dit encore :

— Camille, mais qu'est-ce que tu as aujourd'hui ? Tu es absente. Tu ne danses pas vraiment. Oh ?

Je ne réponds pas mais je sens la colère qui monte. J'explose :

— Pourquoi est-ce que tu ne nous as pas dit que tu allais déménager ?

Je sais que ce n'est pas cool de lui parler sur ce ton, mais je ne peux pas m'arrêter. Je suis trop en colère :

— Alice m'a tout raconté. Tu déménages à Paris, tu nous quittes, tu…

— Camille, calme-toi, interrompt Chantal d'un ton calme.

Chantal regarde notre petit groupe. Toutes les filles nous regardent avec surprise, des questions dans les yeux. Personne ne dit rien.

CHAPITRE 6

LA CONFRONTATION

— OK, dit Chantal, tout le monde se calme. On s'assied et on va en parler.

Notre petit groupe s'assied en silence. Nous regardons Chantal. Elle nous dit :

— Mon mari… Mon mari a eu une promotion et toute ma famille déménage à Paris à la fin du mois de juin. Je ne vous l'ai pas dit parce que je suis en négociation pour vendre le studio. Je voulais vous l'annoncer **quand j'aurais vendu**[28] le studio. Je ne voulais pas que vous vous préoccupiez de l'avenir du studio et de votre avenir. **J'aurais dû penser**[29] que ma belle-fille Alice allait tout raconter à sa meilleure amie Camille. Je suis vraiment désolée... J'espère que vous me

---

[28] quand j'aurais vendu – when I had sold
[29] j'aurais dû penser – I should have thought

pardonnerez. Je vous aime toutes et Studio Pineapple est ma vie.

Chantal se met à pleurer doucement. Je regarde les autres filles qui pleurent elles aussi et soudain je ne suis plus en colère. Je me sens très triste et je vais prendre Chantal dans mes bras. Toutes les filles la prennent dans leurs bras aussi et nous pleurons doucement ensemble.

Au bout d'un moment, Chantal nous dit calmement :

— Vous avez des questions ? Alors, je vous écoute.

— Avec qui tu es en négociation pour vendre le studio ? demande Assia.

— Avec un ancien danseur du Ballet National de Marseille. Il s'appelle Joseph Mutombo. Vous avez peut-être entendu parler de lui. On a travaillé ensemble quand je dansais au BNM. Il est allé danser à Bruges, en Belgique, mais il est revenu à Marseille il y a deux ans.

— Tu le connais bien ? C'est un bon prof ? C'est un bon chorégraphe ? demande Élise.

— On a un style différent parce que nos expériences et nos vies sont différentes, mais c'est un excellent danseur, un excellent prof et un excellent chorégraphe. Il **fera vraiment avancer le studio**[30] ! Quand la décision sera définitive, j'organiserai une visite, OK ? Peut-être qu'on aura le temps de préparer une choré avec lui pour le spectacle de fin d'année ?

— Quand est-ce que tu auras la réponse définitive ? demande encore Élise.

— Dans une ou deux semaines. **Je vous tiens au courant**[31].

---

[30] fera vraiment avancer – will really move the studio forward
[31] je vous tiens au courant – I will let you know

J'ai une question pour Chantal :

— Chantal, je suis désolée de t'avoir agressée. J'étais en colère. Je… Est-ce qu'on va se revoir ?

Chantal me sourit et répond :

— Vous voulez faire un **stage de danse**[32] à Paris ? Vous voulez venir danser à Paris ? Ou juste visiter cette superbe ville ? Venez habiter chez moi quand vous voulez. C'est une invitation officielle et permanente.

On se prend encore toutes dans les bras. Plus personne ne pleure. Chantal annonce :

— Allez, on y va. On a un spectacle à préparer.

[32] stage de danse – dance workshop

CHAPITRE 7

JOSEPH

Dimanche 4 juin

Aujourd'hui, on va rencontrer Joseph Mutombo. La décision est définitive : il sera le nouveau directeur du studio au mois de juillet. Il a accepté de travailler avec notre petit groupe d'élèves avancées et de chorégraphier une danse pour notre spectacle de fin d'année.

J'arrive à Studio Pineapple. J'ai peur. Je suis impatiente de rencontrer Joseph Mutombo. Mais j'ai peur. Pourquoi est-ce que j'ai peur ? **J'ai l'habitude de**[33] danser avec d'autres chorégraphes. Je fais souvent des stages de danse où il est important de m'adapter rapidement au style et à la technique du ou de la chorégraphe. Alors pourquoi est-ce que j'ai peur aujourd'hui ?

---

[33] j'ai l'habitude de – I am used to

Je n'ai pas le temps d'y penser. Chantal nous présente Joseph. Il est très grand et fort. Il sourit. Il prend le temps de nous parler. Quand il nous parle, il nous regarde dans les yeux. J'apprécie qu'il ne regarde pas mon corps **de haut en bas**[34], comme dans les castings :

— Ah… Alors c'est toi Camille ? C'est un plaisir de te rencontrer. J'ai beaucoup entendu parler de toi, dit-il avec un large sourire.

— Ah oui ?

Je regarde Chantal. Elle ne dit rien. Elle sourit.

— Ben oui. Tu es célèbre **sur les réseaux sociaux**[35]. Ta vidéo de *Careless Whisper* est un hit !

Ma vidéo est vraiment un hit. Le nombre de « J'aime » est à plus de 800 000 et mon

[34] de haut en bas – up and down
[35] réseaux sociaux – social networks, social media

nombre d'**abonnés**[36] est à plus de 150 000 ! J'ai arrêté de lire les commentaires parce qu'il y en avait beaucoup. En plus, j'ai été très occupée : avec l'école, les **répet**[37] de danse et l'histoire compliquée entre Alice, Bilal et Khadra, je n'ai pas vraiment eu le temps de penser à mon statut de « célébrité » sur les réseaux sociaux.

— Bon les filles, appelez-moi Joseph, OK ? Prêtes à danser et à sortir de votre zone de confort ? On va commencer par s'échauffer 20 minutes et après je vais vous montrer la chorégraphie que j'ai préparée pour vous.

À la fin de la répet, j'ai beaucoup transpiré, je suis toute rouge, super fatiguée et j'ai besoin d'un bon bain chaud. Mais je suis heureuse : j'adore le style de Joseph ! Ses chorés de danse moderne sont influencées par des mouvements de danse congolaise comme le Soukous.

[36] abonnés – subscribers
[37] répet – rehearsal

CAMILLE

Ses chorés de danse moderne sont influencées par des mouvements de danse congolaise comme le Soukous.

Joseph a fait une chorégraphie sur la chanson *La Même* de Maitre Gims et je suis surprise que cette chanson aille si bien avec les mouvements de Soukous. Comme l'avait dit Joseph, ses mouvements m'ont vraiment fait sortir de ma zone de confort !

Et ça m'a fait du bien.

CHAPITRE 8

LE SPECTACLE

Samedi 17 juin

Aujourd'hui, c'est le spectacle de fin d'année de Studio Pineapple, le dernier spectacle avec Chantal comme directrice et chorégraphe. Chantal déménage dans une semaine. Alice déménage dans une semaine.

On travaille, on répète et on répète pendant des mois et soudain le spectacle est fini : entre s'échauffer, les chorés, les changements de costumes et **s'occuper**[38] des petits élèves, je n'ai pas le temps de penser. Bien sûr, **j'ai le trac**[39] juste avant d'entrer en scène. Mais je me sens prête. Dès que la musique commence, j'oublie tout et je danse. Nous dansons.

---

[38] s'occuper – to take care
[39] j'ai le trac – I have stage fright

À la fin du spectacle, tous les élèves de Studio Pineapple donnent des cadeaux à Chantal. Mon petit groupe d'élèves avancées a donné un cadeau à Joseph aussi. Chantal et Joseph **font un discours**[40]. Tout le monde pleure et sourit en même temps !

Après le spectacle, ma mère et ma grand-mère me donnent des fleurs. Alice, Khadra et Bilal sont là aussi. Je les embrasse tous en souriant. Ma grand-mère me dit :

— Bravo Camille, tu as très bien dansé. Je me demande toujours comment tu fais pour danser **avec tant de grâce**[41] !

Je sais que dans sa tête, elle me fait un compliment. Je continue à sourire. Elle me demande :

— Et le grand monsieur noir qui a fait le discours, c'est le chorégraphe ?

[40] font un discours – give a speech
[41] avec tant de grâce – with so much grace

— C'est le nouveau directeur du studio, mémé. Chantal a chorégraphié tout le spectacle mais c'est lui qui a chorégraphié *La Même.*

— Ah ben c'est pour ça que vous avez beaucoup **secoué les fesses**[42] sur cette musique. C'est comme ça qu'ils dansent en Afrique !

Je regarde ma grand-mère. Je suis fatiguée mais je sens la colère qui monte. Je décide de lui répondre, de lui dire que son commentaire est ignorant et raciste parce que le Soukous est un genre musical qui a influencé d'autres styles de musique et de danse dans toute l'Afrique, mais aussi dans le monde.

Et que les mouvements de Soukous sont difficiles physiquement.

Et que mon corps n'a pas besoin d'être mince pour être gracieux, sensuel et fort.

---

[42] secoué les fesses – shook your buttocks

Mais Joseph est arrivé pendant notre conversation. J'espère qu'il n'a pas entendu la réflexion de ma grand-mère ! Il sourit, se présente et dit à ma mère :

— Votre fille a beaucoup de talent et **elle travaille dur**[43]. C'est un plaisir pour moi d'être le nouveau directeur de Studio Pineapple et de danser avec des élèves qui n'ont pas peur de sortir de leur zone de confort. Je voulais vous demander, à vous et à Camille, si vous voulez bien me donner la permission de **l'inscrire**[44] au pré-casting de *La France a un Incroyable Talent.* Les auditions **auront lieu**[45] à Marseille en décembre.

Je ne sais pas quoi dire. Ma mère ne sait pas quoi dire. Silence. Alice, Khadra et Bilal disent un « wouah » d'admiration et applaudissent.

---

[43] elle travaille dur – she works hard
[44] l'inscrire – to sign her up
[45] auront lieu – will take place

Je ne sais pas pourquoi mais je regarde ma grand-mère : elle regarde Joseph d'un air surpris, les yeux grand ouverts. Je souris.

CAMILLE

CHAPITRE 9

L'AUDITION

Samedi 15 décembre

Aujourd'hui c'est le jour de l'audition pour *La France a un Incroyable Talent.* Mon pré-casting, une vidéo de présentation et une vidéo de danse, a été accepté et on m'a demandé d'auditionner au café-théâtre Quai du Rire, sur le vieux port de Marseille. Je n'aurais pas dû annoncer la nouvelle sur Instagram… Il y a des milliers de « J'aime » et de messages d'encouragements, mais il y a aussi beaucoup de commentaires négatifs.

En fait, je n'aime vraiment pas être une « célébrité » sur les réseaux sociaux.

Alice et Chantal sont venues de Paris pour m'encourager. J'ai passé beaucoup de temps avec Alice et Khadra. Quel plaisir de passer du temps avec mes deux meilleures amies ! Alice m'a raconté qu'elle et Bilal sont toujours ensemble pour l'instant, mais que la relation à longue distance est vraiment difficile. Bilal va passer une semaine chez elle pour Noël. Chantal, elle, n'a pas ouvert de nouveau studio à Paris mais elle y travaille.

Ma mère et Joseph aussi sont venus m'encourager. Joseph me demande :

— Tu es prête Camille ?

— Oui. Merci pour tout, Joseph.

— Allez. **Merde**[46].

Dans les loges, il y a beaucoup de monde et d'agitation. Je sens le trac qui monte. Je mets mes écouteurs dans les oreilles. J'ai décidé de danser la choré de Joseph, *La Même*. On l'a adaptée ensemble pour en faire un solo. J'apprécie vraiment Joseph et ses

---

[46] merde – break a leg

encouragements. J'adore travailler et danser avec lui ! Je me sens prête.

On appelle mon nom et je me présente **sur la scène**[47]. Les juges me regardent de haut en bas. J'ai le trac mais je suis concentrée. Je me sens prête. Une des juges, Marianne James, me demande :

— Bonsoir mademoiselle, comment vous appelez-vous ?

— Camille.

— Quel âge avez-vous, Camille ?

— J'ai 17 ans.

— Et pourquoi voulez-vous être dans *La France a un Incroyable Talent* ?

Je réponds sans hésitation :

---

[47] sur la scène – on stage

— Pour montrer que mon corps n'a pas besoin d'être mince pour être gracieux, sensuel et fort.

Tout le monde applaudit. Les lumières s'éteignent. Je me concentre. Dès que la musique commence, j'oublie tout et je danse.

FIN

PETIT GLOSSAIRE CULTUREL & VISUEL

CHAPITRE 1

1) **La Garde** is a small town located in the southeast of France. It is an hour's drive from Marseille, the second largest city in France after Paris.

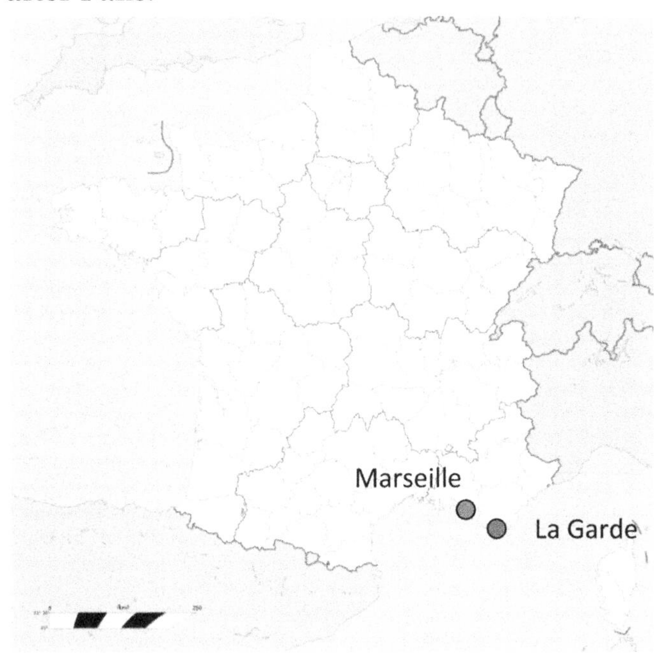

Carte @ Superbenjamin

2) **Le Rocher de La Garde** is a big outcropping of volcanic roc. On top of it sits a chapel and the remains of a castle which date back to the Middle Ages.

Photo @ Arafin

Photo @ Philippe Cosentino

CHAPITRE 2

1) **Grégory Lemarchal** was a French singer who won the fourth season of the reality television show *Star Academy* in 2004. He died in 2004 at the age of 23 of health complications. He has since been immortalized as "Petit Ange". Make sure to look him up!

2) French people and especially French youth listen to a lot of **music in English**. So much so that the French government established quotas for French music aired on the radio. Established in 1986 but revised many times, the law says 35-50% of the music aired in prime time must be French.

CHAPITRE 3

1) It is very common for French youth to use **hashtags in English** on Instagram. Out of the most popular general hashtags in France, only four are actually French words:

#beautiful
#cute
#instagood
#instamood
#like4like
#love
#me
#photooftheday
#picoftheday
#nofilter
#amour
#lol
#paris
#moi
#coeur

2) **French is not a very inclusive language.**

In French, some **nouns referring to people** have two forms, as with *la danseuse* (the [female] dancer) and *le danseur* (the [male] dancer), even though, in English, we only use one word for both: dancer.

When **talking about a group of people** which includes at least one male, the French language traditionally uses the masculine form, for example *danseurs* to refer to a group of dancers, even if there is just one male dancer and a bunch of female dancers in the group!

To make French more inclusive and less gender-bound, speakers have created new forms that are neither masculine nor feminine or both masculine and feminine, for example by merging
danseur+*dans**euse*** > ***danseureuse***
or ***trolleur***+*troll**euse*** > ***trolleureuse***

Can you think of other French words you could do this with?

CHAPITRE 6

1) **Ballet National de Marseille** is a dance company founded by Roland Petit in 1972. It is now also a national center for choreography and a national graduate school of dance.

Photo @ XDurang

CHAPITRE 7

1) **Soukous** is a music and dance genre that originated from the Congo in the 1950s and 1960s. It spread to the rest of Africa and the world in the 1970s and has influenced a lot of popular African and Caribbean music.

Did you see Shakira's performance at the 2020 Super Bowl halftime show? One of her dances is the Champeta, an Afro-Caribbean dance popular in Colombia. The Champeta is inspired by the Congolese Soukous.

CHAPITRE 9

1) ***La France a un incroyable talent*** is a French TV show, adapted from the British show *Britain's got talent.* Similarly to the British show, contestants compete in front of a jury for the title of "incroyable talent".

2) **Marianne James** is a French singer, writer, actress, TV show host, and fashion designer.

3) **Le Quai du Rire** is a café-théâtre located in the old port of Marseille. A café-théâtre is usually a small venue where you can eat, drink, and watch a show (usually a comedy show).

GLOSSAIRE

- A -

a – has
à – at, to
  à côté de – next to
abonnés – subscribers
absente – absent
accepté – accepted
acceptée – accepted
adaptée – adapted
adapter – to adapt
admiration – admiration
adore – love, adore
adorée – beloved
adresse – address
advancer – to advance
Afrique – Africa
âge – age
  quel âge avez-vous ? – how old are you?
agitation – agitation
agressée – aggressed
ai – have
aille – goes
aime – likes, like
aimez – like
air – air
allais – were going
allait – was going
allé – gone
aller – to go
allez – are going, let's go
allions – used to go
allons – are going
allume – turns on
alors – so, therefore
amie(s) – friend(s)
ancien – ex
année – year
annonce – announcement, announces
annoncé – announced
announcer – to announce
ans – years
  17 ans – 17 years old
appelez – call, are named
  appelez-moi – call me
  comment vous appelez-vous ? – what's your name ?
appelle – calls
  il s'appelle – his name is

on appelle – someone calls
applaudissent – applaud
applaudit – applauds
apprécie – appreciate
après – after
après-midi – afternoon
arrêté – stopped
arrête – stops, stop
s'arrête – stops
je m'arrête – I stop
arrêter – to stop
arrive – arrived
arrive – arrives, arrive
je n'arrive jamais – I can never
arrivent – arrive
arrivons – arrive
as – have
aspirines – aspirins
assied – sits
aussi – also
autre – other
autres – other, others
avait – had
avancées – advanced
attractive – attractive
au – to the
audition(s) – audition(s)
auditionner – to audition
aujourd'hui – today
aura – will have
aurais – would have
auras – will have
auront – will have
avant – before
avec – with
avenir – future
avez – have
avoir – to have
avons – have

- B -

bain(s) – bath
salle de bains – bathroom
baisse – lower
ballet – ballet
bas – bottom
de haut en bas – up and down
beau – beautiful
il fait beau – the weather is beautiful
beaucoup d(e) – a lot of
Belgique – Belgium
belle – beautiful

belle-fille – stepdaughter
belle-mère – stepmother
besoin – need
bien – well, good
c'était bien – it was good
me fera du bien – will do me good
bise – kiss (on the cheek)
bleus – bruises
bois – wood
bombe – bomb
bon(s) – good
bonjour – hello
bonne – good
bonsoir – good evening
bout – end
jusqu'au bout – until the end
bouteille – bottle
bras – arms
bravo – bravo

- C -

ça – it
cadeau(x) – gift(s)
café – coffee, café
caféteria – cafeteria
calme – calm
calmement – calmly
casse – breaks
casting(s) – casting(s)
ce – this
célèbre – famous
célébrité – celebrity
cet – this
cette – this
chance – luck
j'ai de la chance – I am lucky
changements – changes
chanson – song
chanter – to sing
chapitre – chapter
chaque – each
chaud – warm
cherché – looked for
chez – at the place of
choré(s) – choreography(ies)
chorégraphe(s) – choreograph(s)
chorégraphie – choreography
chorégraphié – choreographed
chorégraphier – to choreograph

chorés – choreographies
club – club
code – code
colère – anger
  en colère – angry
comme – like, as, because
commence – starts, start
commencer – to start
comment – how
commentaire(s) – comment(s)
compliment – compliment
compliquée – complicated
concentre – focus
  je me concentre – I focus
concentrée – focused
concentrer – to focus
confort – comfort
  zone de confort – comfort zone
confrontation – confrontation
congolaise – Congolese
connais – know
connaît – knows
connaître – to know
conseil – advice
continue – continue
conversation – conversation
cool – cool
corps – body
costumes – costumes
côté – side
  à côté de – next to
courant –
  au courant – in the know
cousins – cousins
crie – yell, yells -

-D -

dans – in
dansais – was dancing
danse – dance
dansé – danced
dansent – dance
danser – to dance
danses – dance
danseur – dancer
danseureuses – dancers
danseurs – dancers
danseuses – dancers
dansez – dance
dansons – dance
date – date

de – of
décembre – December
décide – decide
décidé – decided
décision – decision
définitive – definitive, final
demande – ask, asks
  je me demande – I ask myself
demandé – asked
demandent – ask
demander – to ask
déménage – am moving, is moving
déménagé – moved
déménagement – move
déménager – to move
déménages – move
dernier – last
des – some, of the
dès – as soon as
  dès que la musique – as soon as the music
désolée – sorry
détresse – distress
deux – two
devrais – should
différent – different
différentes – different
difficile(s) – difficult
dimanche – Sunday
diner – dinner
dira – will tell
dire – to say
directeur – director
directrice – director
dis – say
discours – speech
disent – say
distance – distance
dit – says
dommage – pity
donné – given
donnent – give
donner – to give
doucement – softly
du – of the
dû – have had
dur – hard

- E -

eau – water
échauffe – warm up
  je m'échauffe – I warm up
échauffer – to warm up
école – school
écoute – listen

écouteurs – headphones
écris – write
écrit – writes
église – church
égoïste – selfish
élèves – students
elle – she
elles – they
embrasse – kiss
embrasser – to kiss
émotion – emotion
en – at, it, in, while
  en haut – at the top
  en manger – eat it
  en harmonie – in harmony
  en même temps – at the same time
  en prenant – while taking
encore – again
encouragements – encouragements
encourager – to encourage
ensemble – together
entends – hear
entendu – heard
  entendu parler de – heard about
entre – between, enter
entrer – to enter
envoyer – to send
es – are
espère – hope
est – is
et – and
été – been
étais – was
était – was
éteignent – switch off
être – to be
eu – had
excellent – excellent
excellente – excellent
expériences – experiences
explose – explodes, explode
explosé – exploded

- F -

faire – to do
  fais la bise – kiss on the cheek
fais – do
fait – does, fact
  il fait beau – the weather is nice
  en fait – in fact
famille – family
fatigué – tired

femme – woman
fera – will do
me fera du bien – will do me good
ferme – close
fermer – to close
fermés – closed
fesses – buttocks
fille(s) – girl(s)
fin – end
fin d'année – end of the year
à la fin de – at the end of
finale – final
finalement – finally
fini – over
finissions – would end
fleurs – flowers
font – do
fort – strong
frère – brother

- G -

gâteau – cake
génial – awesome
géniale – awesome
géniaux – awesome
genre – genre
gens – people
grâce à – thanks to
gracieux – graceful
grand – big, tall
groupe – group-

- H -

habitais – used to live, lived
habite – live
habitant – live
habiter – to live
habitude – habit
harmonie – harmony
haut – top
hésitation – hesitation
heureuse – happy
histoire – story
home – man

- I -

idée – idea
ignorant – ignorant
il – he
ils – they
immédiatement – immediately
impatiente – impatient
important – important

incroyable – incredible
influencé – influenced

influencées – influenced
informations – information
inscrire – sign-up
instant – instant
pour l'instant – for the moment
interrompt – interrupts
interrompue – interrupted
intonation – intonation
invitation – invitation

- J -

j' – I
jamais – never
jambes – legs
jardin – garden
je – I
jour – day
juges – judges
juillet – July
juin – June
jusqu' – until
jusqu'au bout – until the end
juste – just

- L -

l' – the
la – the
là – there
large – large
le – the
les – the
leur – their
leurs – their
lève – rise
je me lève – I get up
libre – free
lieu – place
auront lieu – will take place
lire – read
liste – list
loges – lodges
longue – long
louche – creepy
lui – to him, to her
lumières – lights
lundi – Monday
lycée – high school

- M -

m' – me, to me
ma – my
mademoiselle – miss
mai – Mai
mais – but
maison – house
maitre – master
maman – mom
mange – eaten
manger – to eat
manger – will eat
marchandise – merchandise
marcher – to walk
mari – husband
marre – fed up, tired
me – me, to me
meilleure(s) – best
mémé – granny
même – even
même si – even if
en même temps – at the same time
merci – thank you
merde – break a leg
mère – mother
mes – my
message(s) – message(s)
met – puts
  se met à – starts to
métro – metro
mets – put
midi – noon
milliers – thousands
mince – thin
mineurs – minor
minutes – minutes
moderne – modern
moi – me
mois – month
moment – moment
  au bout d'un moment – after a moment
mon – my
monde – world
monsieur – Mr.
monte – goes up
montrer – to show
mouvement(s) – movement(s)
musical – musical
musique – music

- N -

n' ... pas – not
n' ... que – nothing but
n' ... rien – nothing

n' ... ni – neither... nor
naissance – birth
national – national
naturel – natural
ne ... pas – not
ne... personne – no one
ne ... que – just
ne ... plus – no longer
négatifs – negative
négociation – negotiation
noël – Christmas
noir – black
nom – name
nombre – number
nos – our
notifications – notifications
notre – our
nous – we
nouveau – new
nouvelle – news
nuance – nuance

- O -

occupée – busy
(s') occuper – to take care
officielle – official
on – one, we
oncle – uncle
ont – have
opportunité(s) – opportunities
oreilles – ears
origines – origins
ou – or
où – where
ouais – yeah
oublie – forget
oui – yes
ouvert(s) – open
ouvre – open

- P -

papa – daddy
par – by
parce que – because
pardon – sorry
pardonnerez – will forgive
parents – parents
parle – talks
parler – to talk
parler de – to talk about
paroles – lyrics
part – part
de la part de – on the part of, from
pas – not
passe – happens

qu'est-ce qui se passe ? – what is going on ?
passé – spent
passer – to spend
pendant – during
pense – think
pensées – thoughts
penser – to think
père – father
permanente – permanent
permission – permission
personne(s) – person(s), no one
petit(s) – small
petite – small
peu – little
un peu – a little
peur – fear
j'ai peur – I am afraid
peut – can
peux – can
photo – photo
physiquement – physically
pied – foot
pieds – feet
plaisir – pleasure
planches – planks
pleure – cries
pleurent – cry
pleurer – to cry
pleurons – cry
plus – more
en plus – furthermore
à plus tard – see you later
plus de – more than
poids – weight
portable – cell phone
portrait – portrait
pose – pose
postal – postal
pour – for, in order to
pourquoi – why
pourrais – could
préfère – prefer
préférence – preference
prenant – taking
prend – takes
prendre – to take
prends – take
je prends une décision – I make a decision
prennent – take
prénom – first name
préoccupée – preoccupied
préoccuper – preoccupy

preparé – prepared
préparée – prepared
préparer – to prepare
présentation – presentation
présente – introduces
se présente – introduces himself
présenter – to present
prête(s) – ready
prof – teacher
promenade – walk
promener – walk
promotion – promotion

- Q -

qu' – that
quand – when
que – that
quel – which
question(s) – question(s)
qui – who, that
quitte – leave
quittes – leave
quoi – what

- R -

raciste – racist
raconte – tells
raconté – told
raconter – to tell
rapide – quick
rapidement – quickly
réaction – reaction
récente – recent
recommence – start again
réflexion(s) – reflection(s)
regarde – look at, looks at
regardent – look at
regardons – look at
relation – relationship
relaxe – relax
je me relaxe – I relax
rencontré – met
rencontrer – to meet
rentrer – to come home
répet – rehearsal
répète – repeat, rehearse
répétition – rehearsal
répond – answers
répondre – to answer
réponds – answer
réponse – answer

réseaux – networks
retard – late
  en reatard – late
revenue – came back
revoir – see again
au revoir – goodbye
rien – nothing
rocher – rock
rouge – red
rythme – rhythm

- S -

sa – her, his
sais – know
sait – know
salle – room
salle de bains – bathroom
salut – hi
samedi – Saturday
sans – without
scène – stage
se – himself, herself, itself
secoué – shaken
sécurité – safety
en securité – safe
semaine(s) – week(s)
sens – feel
je me sens – I feel
sensation – sensation
sensual(s) – sensual
sera – will be
série – serie
ses – her, his
seule – alone
si – if
silence – silence
sociaux – social
solo – solo
son – her, his
sont – are
sortir – to go out
soudain – suddenly
souriant – smiling
sourire – to smile
souris – smile
sourit – smile
souvenirs – memories
souvent – often
spectacle – show
sport – sport
stage(s) – intership(s)
station – station
statut – status
stp – s'il te plaît
strict – strict
stricte – strict
studio – studio
style(s) – style(s)
suis – am
suivantes – following
suivi – followed

super – super
superbe – superb
sur – on
sûr – sure
surprise – surprised
surprise – surprised
surveilles – watch

- T -

t' – you, to you
ta – your
tablette – tablet
taille – size
talent – talent
tant – such
tard – late
te – you, to you
technique – technique

téléphone – telephone

temps – time
terrien – earthling
tes – your
tête – head
texto – text, sms
théâtre – theater
tiens – hold
tiens au courant – let you know
toi – you
ton – your
toujours – always
tous – all
tout – all, everything
toute – all
toutes – all
trac – stage fever
transpiré – sweated
travaille – works
travaillé – worked
travailler – to work
très – very
triste – sad
trolleureuses – trolls
trop – too much
tu – you

- U -

un – a
une – a
unique – unique

- V -

va – goes
vais – go
vas – go
vendre – to sell

vendu – sold
venez – come
venir – to come
venues – came
venus – came
version – version
veulent – want
veut – wants
veux – want
vidéo – video
vie – life
vies – lives
vieille – old
vieux – old
ville – city, twon
virale – viral
visite – visit
visiter – to visit
voir – to see
vois – see
voit – sees
vous – you
votre – your
voulais – wanted
voulez – want
vraiment – really –

- Y -

y – there
yeux – eyes

- Z

zone – zone

DE LA MÊME AUTEURE

Alice

La Liste

Cécile Lainé

Alice

When Alice, a teenage girl who lives in the south of France, finds out she and her family are moving to Paris in a month, she is far from happy. Her friend suggests she make a list of the most important things she wants to accomplish before she leaves. Alice writes four items on her list and sets off on a quest to discover what truly matters to her.

Cécile Lainé

Khadra

Khadra is trying to deal with her recent falling out with her best friend, Alice. As she reflects on Alice's betrayal, she makes an unlikely new friend and finds unexpected purpose in helping him survive a dangerous situation. Set in Marseille, France, this second installment of the Alice series takes the reader on a journey of compassion and perseverance. Khadra can be read either separately from Alice or as a sequel.